TABLEDI-GWNEUD-'CHI-WENU

Golygydd: Myrddin ap Dafydd

ⓗ yr awduron/Gwasg Carreg Gwalch

ⓗ y lluniau: Siôn Morris

Argraffiad cyntaf: Ebrill 2001

Cyhoeddwyd dan gynllun comisiynu Cyngor Llyfrau Cymru

Dymuna'r cyhoeddwyr gydnabod cymorth
Adrannau Cyngor Llyfrau Cymru.

Panel Golygyddol Llyfrau Lloerig:
Nia Gruffydd, Rhiannon Jones, Elizabeth Evans

Rhif Llyfr Safonol Rhyngwladol:
0-86381-678-9

Argraffwyd a chyhoeddwyd gan Wasg Carreg Gwalch,
12 Iard yr Orsaf, Llanrwst, Dyffryn Conwy
☎ (01492) 642031 📄 (01492) 641502
e-bost: llyfrau@carreg-gwalch.co.uk
lle ar y we: www.carreg-gwalch.co.uk

£1

Tabledi-gwneud-'chi-wenu

Dôs arbennig o farddoniaeth loerig am salwch ac afiechydon

Cynnwys

Cyflwyniad

Mae sawl ffordd o ddweud eich bod yn teimlo'n wael: 'Rwyf wedi clafychu.' 'Dwi isio chwdu!' 'Wi'n teimlo'n dost.' 'Smo i'n hwylus.' 'Rwy'n glaf, rwy'n glaf. Wna i ddim byw tan yr haf.' 'Dwi'n llegach, yn llwytyn, yn wanllyd, yn wantan, yn giami, yn gwla, yn symol, yn shimpil – a dweud y gwir dwi'n swp sâl.'

Wrth weithio ar ddarn o farddoniaeth, bydd bardd yn chwilio am sawl ffordd o ddweud rhywbeth, ac ar ôl casglu nifer o amrywiadau bydd wedyn yn dewis y ffordd fwyaf addas o'i ddweud ar gyfer yr hyn sydd dan sylw. Pentyrru geiriau ac yna dethol – dyna sut mae mynd ati i sgwennu.

Ond cyn hynny, mae'n rhaid mwynhau geiriau. Os ydych chithau'n achwyn neu'n cwyno, dyma'r union beth i'ch cael mewn gwell hwyliau. Brysiwch wella!

Myrddin ap Dafydd

6

Anifeilaidd 'Ta Be?

Mae brech yr ieir ar Meira
a'r eryr ar Rowena.
Ond sut yn y byd y medrodd Dei
gael defaid yn ei glustia?!

Margiad Roberts

Y Fam Gas

'Mae gen i ddolur gwddw
a phoen mawr yn fy mol.
Well i mi aros adra.'
'O paid â gneud dy lol!'

Margiad Roberts

Pigiad

Paid â phoeni, siŵr, dydi pigiad yn ddim byd,
dim ond clamp o nodwydd ddwywaith dy hyd
a honno yn suddo fel trosol trwy'r croen
gan ddod allan pen arall yn hollol ddi-boen.

Margiad Roberts

Limrig Wael

Roedd gan fy hen fodryb rhyw wae
Fod pobol yn marw'n eu gwlâu.
   Perodd gymaint o loes
   Iddi gydol ei hoes
Bu'n cysgu am hydoedd mewn cae.

Tony Llewelyn

Limrigau sâl

Aeth hogyn pesychlyd o'r Rhiw
I'r ysgol yn dioddef o'r ffliw,
    A chyn amser cinio
    Tisian a snwffio
Oedd hanes pob un yn y criw.

       * * *

Y Pigwr Trwyn enwog o Sblot
Sydd wrthi ers pan mae'n ei gòt,
    A'r cwestiwn mawr sydd
    Ar strydoedd Caerdydd:
Be gebyst mae'n 'wneud â'r holl snot?

       * * *

Aeth merch i weld llew yn Nhre-gŵyr
A'i chlustiau 'di'u llenwi â chŵyr,
    Gwaeddodd ffrind arni hi:
    'Mae'n dod atat ti!'
'Ta-ta pwy?' holodd hithau . . . Rhy hwyr.

Myrddin ap Dafydd

11

Stori Sâl

Gredwch chi hyn
Am ein hysgol ni?
Doedd neb ar ôl
Erbyn chwarter i dri!

'Rôl bwyta Kit-Kat
Aeth Siôn yn sâl
Am ben y mat.

Wrth sbio ar Siôn,
Peth nesa roedd Dei
Yn sâl wrth y ffôn.

Roedd hogle ar Dei
Oedd yn troi ar Rhys,
Aeth o'n sâl dros ei dei!

12

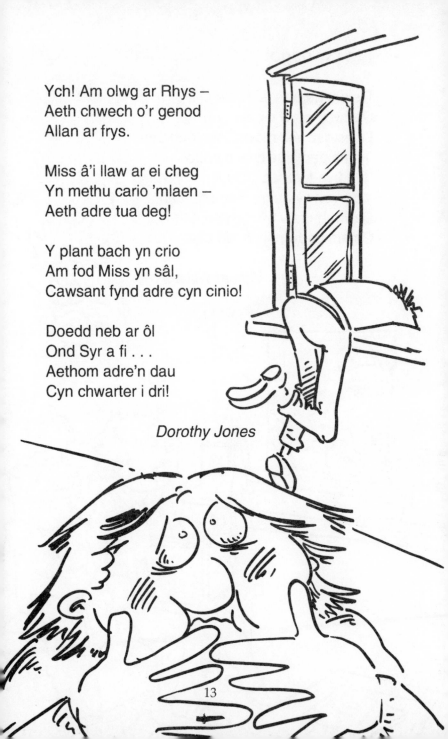

Ych! Am olwg ar Rhys –
Aeth chwech o'r genod
Allan ar frys.

Miss â'i llaw ar ei cheg
Yn methu cario 'mlaen –
Aeth adre tua deg!

Y plant bach yn crio
Am fod Miss yn sâl,
Cawsant fynd adre cyn cinio!

Doedd neb ar ôl
Ond Syr a fi . . .
Aethom adre'n dau
Cyn chwarter i dri!

Dorothy Jones

13

Lle i'w osgoi

Os am gadw'n iach, da chi,
Cadwch draw o'r syr-jy-ri.
Does dim lles mewn 'ista 'nghanol
Jyrms peryglus criw o bobol
Sydd yn tagu ac yn tisian
Ac yn chwythu trwyn a snwffian;
Cadwch draw o'r syr-jy-ri
Os am gadw'n iach, da chi.

Valmai Williams

FFISIG
CAS

Afiechyd

A sydd am annwyd, rwy'n gaeth i'r gwely.
F am y frech – rwy'n symud i'r 'sbyty.
I am yr ig, am lowcio'n rhy sydyn.
E am yr eli, lle mae'r croen yn felyn.
Ch sydd am chwaer – 'run wyllt â'r ffyn baglau.
Y – ych a fi yw'r moddion glas golau.
D sydd am dost – rwy'n teimlo'n reit symol.
. am atalnod – dim mwy o ysgol!

Gwyn Morgan

Sâl

Dwi'n boeth, boeth, boeth,
Mae 'mhen i'n troi,
Dwi'n oer, oer, oer
a 'nghoesau'n rhoi,
Dwi'n teimlo'n sâl,
a'm meddwl ar chwâl,
y byd i gyd yn troi
a'r stumog yn cnoi, cnoi, cnoi.
Coesa'n crynu,
isio taflu'i fyny.
Methu dal,
pwyso ar y wal –
a chwydu -u-u-u-u-u-u-----y.

Lis Jones

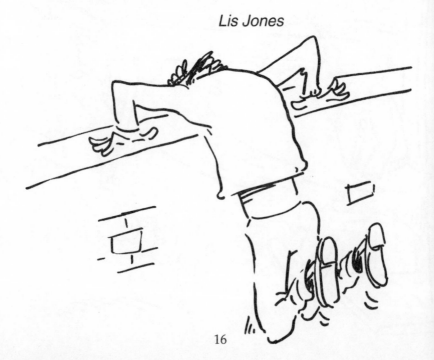

16

Yr Heipocondriac

Mae'r 'pendics, y mymps a'r dolur rhydd,
Y tonsils a'r frech arna'i bob dydd.
Mae poenau'n fy nghlustie a 'nghoese a 'mol,
A phawb yn deud 'mod i'n siarad lol!
Ac er bod 'na bothell ar flaen fy nhrwyn
Does neb yn fy nghredu na gwrando'r un gŵyn.
Mi brofa i rhywbryd mai gwir wyf, nid gau –
Mi ddeffraf 'di marw un bore dydd Iau.

Carys Jones

Ond dwi'n sâl!

Mae genna i afiechyd,
ac O! dwi'n sâl fel ci!
Tonsils cymaint â balŵns
a 'nhymheredd yn gant a thri.
Mae genna i Fronceitis,
A'r frech goch, dwi bron yn siŵr.
Dwi prin yn medru llyncu –
Plîs ga i ddracht o ddŵr?
Mynd i'r ysgol? O, nefi bliw!
Mae'n siŵr yn bryd i fi gael ffliw!

Elen Hughes

18

Pwy?

Rwy'n nabod Ses drws nesa,
A Sel a Nel a Nia,
Ond plîs dywedwch wrtha i –
Pwy ydi Dei a Ria?

Selwyn Griffith

Dymuniad

Mi hoffwn fod yn feddyg
Ar ôl i mi dyfu'n ddyn,
A mendio cleisiau pobl,
Rhoi plastar i bob un.

Neu leddfu dolur gwddw
 jeli pinc a jam,
A thrwsio clwyfau poenus
'Da swsys, fel mae Mam.

Mi wella'r byd a'r betws
 photel llefrith gwyn,
A'r sawl sy'n torri'i galon –
Gafaelaf ynddo'n dynn.

A bydd ond un presgripsiwn
Yn fy meddygfa i –
'Tabledi-Gwneud-'Chi-Wenu',
I'w llyncu fesul tri!

Carys Jones

Mwy o limrigau

Roedd Low eisiau bod fel Posh Sbeis,
A gwisgodd yn andros o neis,
   Ond mae hi mewn plaster
   Ers bore dydd Mercher
Ar ôl iddi faglu'n ei phais!

Un wirion 'di'r ddynes drws nesa –
Yn yfed dim ond Coca Cola,
   Rhoi Coke yn ei choffi
   A Coke yn lle grefi;
Mae sŵn peiriant golchi'n ei bola!

'O mam, dwi mor sâl,' meddai Idris,
'Y ddannodd, cur pen, tonsileitis,
   Poen mawr yn fy nghoes
   A'm llygaid i'n groes –
Dwi'n diodde o Fathemateitis!'

Dorothy Jones

Doctor? NA!

Mi seiclwn feic un olwyn
Saith mil gwaith rownd y parc;
Mi nofiwn yn y moroedd
Sy'n gartref i dri chan siarc;
Mi gerddwn ar draws afon
Gan neidio o groc i groc;
Mi dynnwn gynffon llewpart
A'i lusgo rownd y bloc;
Mi rown fy llaw mewn pydew
Sy'n llawn o gobras blin;
Mi wisgwn goch a rhedeg
At darw anodd ei drin;
Mi neidiwn o awyren
Heb gymorth parashiwt;
Mi rown o-bach i grisli,
Gwenu a deud 'Ti'n giwt' . . .

   . . . Ond pan af at y doctor
   Yr ateb ydi 'NA!
   Wna'i byth, byth, bythoedd agor
   Fy ngheg a jyst deud "Aaaa . . . " '

Myrddin ap Dafydd

Ddim yn dda

'Ti'm yn dda, nagwyt 'mach i?
Mae dy wedd di mor llwyd!
A'th dalcen di'n chwilboeth,
A dim archwaeth bwyd?

Dos di'n ôl i'r gwely, pwt,
Dyna fuasai'n ddoeth!
Mi ffonia i'r ysgol
A gwneud potel ddŵr poeth.'

Wrth orwedd yn llipa
Fan hyn yn fy ngwâl,
Teimlaf ddeigryn yn cronni . . .
Dwi'm eisiau bod yn sâl.

Ann (Bryniog) Davies

Y wledd

Mae Ela a Dylan yn byw yn Stryd Ni
Hefo'u Dadi a'u Mami a Samson y ci.

'Sa'm sôn am gath yn agos i'r lle
Ac mae rheswm reit dda am hynny, yntê?

Mae tad Ela a Dylan yn botsiar o fri
Ac mae yn y rhewgell bysgod di-ri –
Rhai tew a rhai tenau, a brithyll tlws,
Lledod a mecryll nes methu cau'r drws . . .

Un noson, es yno i warchod y ddau
Er mwyn i'w rhieni fynd allan, fel 'tae.

A thoc, cwynai Dylan ei fod eisiau bwyd
A chofio wnaeth Ela am Dadi a'i rwyd.

Bu Ela'n gwneud salad, yn ddeiliach i gyd,
Ac o'r popty dôi'r ogla hyfryta'n y byd –

Roedd darn bach o samon wedi'i lapio mewn ffoil
Yn coginio'n dyner hefo dropyn o oel.

Ac ar ôl ei osod ar blât – O! do,
Mi gawson ni wledd i ymdroi yn y co'.

* * *

24

Heddiw, dwi'n sâl ac yn teimlo'n reit gwla,
Ac wedi hen 'laru ar flas samon Ela!

Nesta Wyn Jones

Rysáit aros adra

Un cilo o fronceitis,
dwy o donsileitis,
litr hael o annwyd trwm
a phwced o facteriwm;
pinsiad o bla,
cymysgwch yn dda,
ei hidlo i jŵg
a'i yfed mewn mŵg
a dyna'r rysáit aros adra!

Margiad Roberts

26

Smotiau

'Heddiw, mi ffendiais dri smotyn,'
Medd Robin wrth fwyta ei de,
'O na,' gwaeddodd Mam yn llawn dychryn,
'Ble maen nhw, Robin – O, ble?'

'Ond Mam . . . '

''Rhen frech yr ieir ydi'n bendant –
Dydd Sadwrn mae'n Steddfod yr Urdd –
I'r gwely i swatio ar unwaith,
'Ddo' i â llwyaid o'r ffisig gwyrdd.'

'Ond Mam . . . '

'Dy blastro â'r "Calamein" wedyn –
Mae'r plant drws nesa 'ma'n bla!
'S dim isio ti fynd yno i chwarae –
Mae rhyw frech ar rheina bob ha'.'

'Ond Mam . . . '

'Mae pawb yn deud cei di lwyfan
Efo'r unawd cerdd dant, heb os! –
Bu Dad mewn gêm golff efo'r beirniad
Ar ddiwrnod ffarwelio â'r bòs!'

'Ond MAM,
Wyddoch chi'r ffownten-pen newydd
Ges i'n anrheg gennych chi,
Gollyngodd dri smot ar y crys 'ma –
Does dim byd yn bod arnaf i!'

27 *Dorothy Jones*

Salwch

Dwi'n gwla, dwi'n giami,
dwi'm hannar da.
Mae 'mhen i'n y Sahara
a 'nhraed i 'Ngwlad yr Iâ.

Dwi'n llegach, dwi'n llipa,
dwi'n wan a dwi'n llwyd.
Ma' nwylo i'n grepach,
'sgen i'm awydd bwyd.

Plîs, plîs ga i wella –
dwi'm eisio bod yn glaf,
achos dim ond newydd ddechra
mae gwylia'r haf!

Margiad Roberts

Damwain

Er holi a holi
Wrth fynd am y dre
Paham fod 'na flodau
O gwmpas y lle,
Roedd Dad yn rhyw dagu,
Troi'r stori wnâi Mam,
A neb yn rhoi ateb
Na dweud wrtha'i pam.

Rwy'n holi o hyd
Ond does neb eisiau sôn
Am dusw o flodau
Ar ymyl y lôn.

Valmai Williams

29

Dost ofnadw

Wy'n teimlo'n dost ofnadw,
Ma' 'mhen i'n troi fel top,
Ma'n stumog i'n gwasgu'n galed,
Ac ma'r sŵn yn 'y nghlust yn ddi-stop.

Ma'n llygaid i'n rolio rownd a rownd,
Ma'n nhrwyn i'n troi yn llwyd,
Ma' nghoese'n crynu fel deilen –
A plîs pidwch sôn am fwyd!

Ma'r gwely 'ma'n boeth un funud,
A'r nesa mae'n troi yn oer,
Ma' 'nghalon i'n rhedeg fel injan dân
A 'nannedd yn dripian poer.

Ond yna mi glywaf y ffôn lawr llawr
A llais fy mam o bell –
'Ma'r arholiad wedi'i ganslo!'
HEI, MAM, WY'N TEIMLO'N WELL!

Dewi Pws

Anti Jên a'r grêps

'Rhen Anti Jên,
Ew, mae hi'n glên,
A finnau'n sâl fan hyn.
A beth ddaeth hi
I'm llonni i?
Wel, grêps mewn bag mawr gwyn.

'Rhen Anti Jên
Yn deud yn glên –
'Ty'd, byta'r grêps bob un.
Hei, wsti wâ,
Maen nhw mor dda
Mi gymra'i 'bach fy hun.'

'Rhen Anti Jên
Sy'n ddynes glên
Yn siarad lond ei cheg,
Ond beth wna hi
A'm grêps bach i?
Eu llowcio fesul deg!

'Rhen Anti Jên
Sydd ddim mor glên
Yn mynd ar ôl dwy awr.
Dim byd – O Mam! –
Ond brigau cam
A thwr o 'bips' ar lawr.

Dyfan Roberts

Ailgylchu

Yn 'rysgol heddiw, yndê Mam,
Mi fuo fy nhrwyn i'n gwaedu,
Y gwaed yn llifo am tua awr,
Dweud gwir, ro'n i'n reit giami.

O bobol bach, be ddaru nhw?
Pa sylw gest ti, Sionyn?
Cael mynd i'r 'sic bê'? Gweld y nyrs?
Cael gorffwys am ryw dipyn?

Wel naddo siŵr, i be, 'nde Mam,
Mae'r trwyn a'r geg mor agos,
Mi lyfais i y cwbwl lot
A'i lyncu'n strêt i'r andros!

O, ych a pych! am sglyfath, Siôn,
Mi rwyt ti'n fochyn budur,
A Mr Griffith, pam wnaeth o
Ddim cynnig hances bapur?

O, paid â ffysian nei di, Mam,
Ti fel tiwn gron yn hefru.
Beth bynnag, ti sy'n dweud o hyd
Mor bwysig yw 'ailgylchu'!

Haf Roberts

Tomos Rhys

Tomos Rhys yn teimlo'n wantan,
Annwyd trwm, cur pen a thisian,
Ei drwyn yn goch – heb gysgu winc –
Teimlo'n well 'rôl ffisig pinc.

Tomos Rhys ddim awydd bwyd,
Poen yn y bol ac edrych yn llwyd.
Gwella'n sydyn 'rôl tabledi
Mawr a melyn fel soseri.

Tomos Rhys yn cosi a chrafu,
'Brech yr ieir!' meddai Doctor Parri.
Tomos Rhys yn wyllt gynddeiriog
Yn rhoi'r bai ar Ianto'r ceiliog.

Zohrah Evans

33

Llau Pennau — *Steffan*

Mae lodjars dirgel yn ein hysgol ni –
Rhai coslyd, slei.

Osian → Wnei di ddim dweud gan BWY, na wnei?
Siôn → . . . Addo?

Mae neidwyr proffesiynol yn ein hysgol ni –
Rhai sy'n llamu'n athletaidd
Ac yn plymio hyd at wraidd.
. . . Wir rŵan!

Mae ieir pennau yn ein hysgol ni –
Rhai sy'n doḋwy wyau SEIS TŴ!
Ond fedrwch chi ddim gwneud cacen efo nhw.
. . . No wê.

Siôn
Steffan
Ryan Mae athrawon nerfus yn ein hysgol ni – *Osian*
Aled M (Yn llunio llythyrau,) yn anfon llyfrynnau *Aled Gwyn.*
I hysbysu'r mamau ac i rybuddio'r tadau,) *pawb*
. . . 'Be 'di'r gair Cymraeg am "nits"? Nedd 'ta gweu?'

Mae 'na syrcas a hanner bob nos yn tŷ ni –
Steffan Rhwng y chwilio manwl a'r shampwio
A'r 'Sa'n llonydd!' a'r mân gribo.
Aled.M . . . O! Ddim ETO!

P5. Aled Matthew yn eistedd ar gadair
Steffan yn gafael o gwallt!

34

Erbyn meddwl,
- Mi ALL'SWN i falu'u coesau nhw efo cefn brws gwallt,
- Mi ALL'SWN i'u boddi nhw mewn bwcedaid o ddŵr hallt,
- Neu mi ALL'SWN wa . . . asgu'u hymennydd nhw efo
gefail bedoli.
Yr RSPCA? Efallai. Yr NSPCC? Pam lai?
UNRHYWBETH i'w hatal rhag cosi a chosi a chosi
a chosi a chosi a . . . chosi!

* * *

O ble y daethon nhw?
Does yr un enaid a ŵyr.
Ond maent bellach (diolch byth!) wedi diflannu'n llwyr
. . . Tan y tro nesaf.

Ann (Bryniog) Davies

35

Mal de Mer

Fyny a lawr, fyny a lawr,
Teimlo'n salach fesul awr.
Trip i'r 'Werddon – *mal de mêr?* –
Na, cwch rhwyfo ar lyn Llanbêr!

Valmai Williams

36

Dydd Gwener y trydydd ar ddeg

Mae'r teulu i gyd mewn ysbyty,
Yn gorwedd heb yngan 'run gair,
Mae'r ward yn perthyn i'r Jonsiaid
Ar ôl ein hymweliad â'r ffair.

Cafodd Taid ei daro gan ddarten,
Bwytaodd Nain rhyw gandi fflos gwyn,
Fe chwydodd am ddwy awr a hanner –
Fyddai Nain byth yn iawn wedi hyn?

'Rôl taro'r ceir clatsio'n ddienaid
A thaflu fy mrawd ar ei hyd,
Dihangodd y llew a bwytaodd
Gornetto fy chwaer bron i gyd.

Cwympodd fy rhieni o'r olwyn
(Yr un fawr), a glanio'n ddi-drefn,
Disgynnodd fy nhad ar ei ysgwydd,
Disgynnodd fy mam ar ei chefn.

Llewygais pan welais ysbrydion
Ac ellyll yn gweiddi yn hy,
Dwi'n addo'r tro nesaf, na fyddwn
Byth bythoedd yn gadael ein tŷ.

Gwyn Morgan

37

Trip dros y dŵr

Rown i'n teimlo'n reit feddw
Heb yfed dim byd,
Aeth fy nghoesau fel jeli
Ac mi es ar fy hyd.

Roedd fy stumog yn corddi,
Es yn welw a llwyd,
A mi own i isho marw
Fel trueiniaid y rhwyd.

Hefo sigl y tonnau
Aeth fy ngwaeledd yn waeth –
Fe rown ffortiwn, un enfawr,
Am roi 'nhraed ar ryw draeth.

Rhois fy mhen dros yr ochr,
Roedd y corddi'n cryfhau,
A draw yn y pellter
Roedd y tir yn lleihau.

Wrth fwyta fy mrecwast
Mae gwylanod yn gôr,
Na tydw'i fyth eto
Eisiau bod yn sâl môr.

Huw Erith

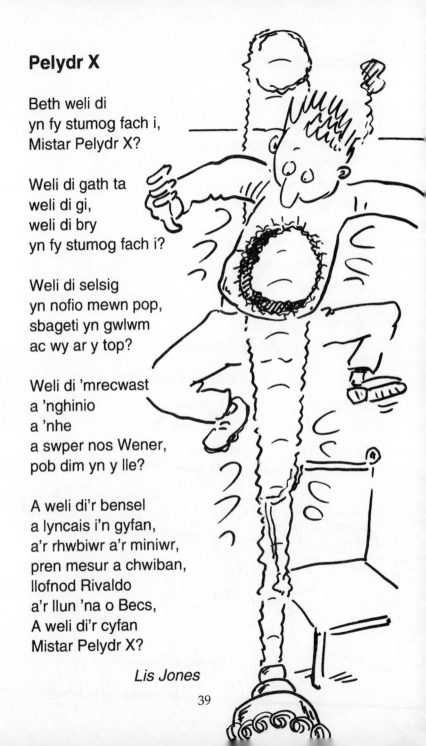

Pelydr X

Beth weli di
yn fy stumog fach i,
Mistar Pelydr X?

Weli di gath ta
weli di gi,
weli di bry
yn fy stumog fach i?

Weli di selsig
yn nofio mewn pop,
sbageti yn gwlwm
ac wy ar y top?

Weli di 'mrecwast
a 'nghinio
a 'nhe
a swper nos Wener,
pob dim yn y lle?

A weli di'r bensel
a lyncais i'n gyfan,
a'r rhwbiwr a'r miniwr,
pren mesur a chwiban,
llofnod Rivaldo
a'r llun 'na o Becs,
A weli di'r cyfan
Mistar Pelydr X?

Lis Jones

39

Jimmy Lee

Aeth Jimmy Lee
O Lan-y-bri
I weld 'rhen Ddoctor Lenny:
'Ma 'da fi lymps
A lot o fymps
Yn stico mas o 'mhen i!'

Medd y doctor bach –
'Ti'n hollol iach!'
Gan fesur lled fy ngên i,
'Dy broblem yw
Dy ben – jiw jiw! –
Rhy fach i ddal dy frên di!'

Carys Jones

40

Bore Llun

Mae gen i boen dychrynllyd,
Poen ddaw ar fore Llun,
Poen meddwl mynd i'r ysgol,
Poen mwy na mi fy hun.

Poen clywed Mam yn gweiddi
'Cod o dy wely, cod,
Does yna ond pum munud
Nes bydd y bws yn dod.'

Poen creulon sy'n parlysu
Fy nghoesau bach yn llwyr,
Nes gwaedda Mam, 'Mae'r bws 'di mynd,
Mi godaist yn rhy hwyr!'

A tasa Nhad yn cynnig
Fy nanfon yn ei fan,
Mi wn i'n iawn y gallai'r boen
Ddychwelyd yn y man.

Edgar Parry Williams

41

Tedi a fi

Mae tedi bach a fi yn sâl
Yn swatio yn y gwely,
Dwi'm isio bwyd na darllan llyfr
Na sbio ar y teli.

Does gan y gath ddim byd i'w ddweud,
Mae Mam lawr grisiau'n rhywle,
Mi fethais fynd i'r ysgol ddoe,
Ond mae'n teimlo fel wythnose.

Ffelt pen a llwy yw'r unig ffordd
I 'nghadw i yn ddiddig,
Ma' Ted 'di cael y sbotiau coch
A'r gath 'di cael y ffisig.

Tony Llewelyn

Frech las

Dwi wedi cael clwy penna
A hefyd brech yr ieir,
Dwi hefyd wedi diodda
'Blac Ei' 'rôl ambell gweir;
Ac roedd fy mol i'n sbotia coch
Pan ges i 'nharo â'r frech goch.
Ac os byddaf mor anlwcus
Â chael y clwy frech las,
Mi wn y caf fy nghertio
At Doctor Puw ar ras.

Selwyn Griffith

43

Y rhech goch

Cawsom newydd ofnadwy
Pan alwodd ffrind i Nhad:
Mae clwy na chlywais amdano o'r blaen
Yn taro plant y wlad;
     Ei enw yw'r rhech goch.

Mae'n swnio'n salwch erchyll:
Dychmygaf yr awyr iach
Yn troi mewn cnec yn lliw go od
Gan fygu plantos bach;
     Ai hynny yw'r rhech goch?

Gall prwpsen fod yn ddoniol:
Mae'n taro pawb yn syn
A'r criw yn ceisio dal yr un
Sy'n pwmpio'r pethau hyn;
     Ond beth am y rhech goch?

Mi ddylai fod yn syml:
All neb fyth wadu'n groch
Pwy sy'n clecian gwynt pan ddaw
O'i din gymylau coch –
    Hwnnw piau'r rhech goch.

Does gen i'm eisiau'i dal hi,
Mae'n salwch mor annheg;
Rwy'n mynd o'r tŷ a pheg ar fy nhrwyn
Gan anadlu drwy fy ngheg –
    Rhag dal y rhech goch.

Ond â phethau ar fin gwella,
Newyddion gwaeth a geir –
Mae rhai yn cosi drostynt i gyd
Wedi'u taro gan rech yr ieir;
    Mae'n waeth na'r rhech goch!

Myrddin ap Dafydd

45

Mochyn a Mul

Dwi ddim yn hen hwch nac yn fochyn,
Nac yn asyn na mules na mul,
Ond ro'n i ryw fymryn yn debyg i'r rhain
'Rôl y godwm a ges i bnawn Sul.

Pam?
Wel:

Gwibio fel mellten ar gefn fy meic
Ar hyd llwybr . . . ('O HELP!') caregog a
chul . . . (CRASH!)
A barodd imi waedu fel mochyn
A nadu am hydoedd fel mul.

Ac wedyn, 'BU-HU-HÛ',
'Rôl mynd i'r tŷ:

Deud ddaru Mam wrth ddoctora
Efo'r plastars a'r Saflon a'r wadin,
'Rŵan 'ta cyw, rhaid 'ti ddiodda fel MUL
Achos mae'r briw 'ma cyn futred â MOCHYN!'

'Aw! Iawn, Mam!
I-ô. Awtsh!
Och-och!
W-hŵ. Aw-aw!'

Ann (Bryniog) Davies

Sâl môr

Fy enw i yw Wil Cwac Cwac,
Hwyaden ydw i'n siŵr,
Ond un peth sy'n fy ngwneud reit sâl
'Di teithio ar y dŵr.

Mae clatsho chwarae ar y lan
Mewn mwd yn sbri go dda,
Ond am fynd ar y tonnau mawr
A'r gwyntoedd cry – O Na!

Os caf fi sblashio yn y brwyn
Fan hyn, dwi'n real boi,
Ond ar y llyn mae 'mhen i'n boeth
A 'mola bach i'n troi.

'Ty'd, llynca'r pum pry genwair hyn,'
Medd Mam. 'Paid bod mor ffôl!'
Ond draw ar Lyn y Felin, yyyych . . .
Mi ges i dri yn ôl!

Mae Martha, Wmffra, Sioni, pawb
Yn fflapio'u plu yn ddig,
Ond s'gen i'm help bod mynd ar ddŵr
Yn gwneud 'mi deimlo'n bîg.

Ac felly rydwi'n gofyn, plîs,
Dwi'm isio bod yn bôr,
Ond oes gan rywun dabled fach
I chwaden sy'n sâl môr?

Dyfan Roberts

47

Llythyrau Absenoldeb

Annwyl Musus Tomos,
Dwi adra heddiw achos
fod gen i boen mawr yn fy mol
ar ôl i mi fwyta cocos.

Annwyl Musus Lewis,
Dwi adra, 'sgen i'm dewis,
mi fwytais inna fwy na'm siâr
o fafon a gwsberis.

Annwyl Mistar Bowen,
mae gen i ddwy lyfrithen
sy'n swigod coch fel mefus mawr
yn cosi fel dwy chwannen.

Annwyl Musus Morgan,
dwi wedi cael llychedan,
y ddau ben sydd yn mynd 'run pryd,
dwi'n sâl, dwi'n wan fel pluan.

48

Annwyl Mistar Parri,·
dwi'n boeth, dwi bron â thoddi,
y ffliw sydd wedi dod i'r tŷ
a dyna pam dwi'n giami.

Annwyl Musus Wennol,
dwi adra, dwi'n absennol
oherwydd pam, dwi ddim yn siŵr.
Anghofiais ddod i'r ysgol.

Annwyl Mistar Ringo,
bu bron i mi anghofio
y llythyr absenoldeb hwn
sy'n dweud pam o'n i'n dojio.

Margiad Roberts

49

Twyllo Mam

Dwi'n mynd i esgus cysgu 'mlaen
er bod fy mam yn gweiddi,
dwi'n mynd i esgus bod dan straen
a bod fy mhen yn hollti.

Dwi'n mynd i ddweud fod pwysau'r gwaed
yn uwch ac uwch bob munud,
a bod 'na boen o 'mhen i'm traed
fel nad wy'n gallu symud.

Dwi'n mynd i nôl y lliain gwyn
a'i roi mewn dŵr berwedig,
a'i osod ar fy mhen fan hyn
nes 'mod i'n goch drybeilig.

Dwi'n mynd i ddweud yn ddistaw bach
'Ga i aros yn fy ngwely?
Dwi ddim yn teimlo'n hollol iach,
ga i aros mewn tan fory?'

Ond beth yw'r iws? Mi wn na chawn
ei thwyllo â'm holl stranciau –
fe daerai Mam fy mod yn iawn
hyd 'n oed ar wely angau!

Tudur Dylan Jones

Ofn llwyfan

Methu sefyll, coesau'n crynu,
Gwddf yn cosi, dechrau tagu,
Eisiau diod, methu llyncu,
Teimlo'n giami, bron â mygu.

Teimlo'n waeth a dechrau chwysu,
Cannoedd o fy mlaen yn syllu,
Trio 'ngorau glas i wenu –
FI 'di'r nesa i gystadlu.

Valmai Williams

Sâl geiriau

Dydi Nanw bach
ddim yn iach.

Mae Gwil
angen pil.

Mae Heledd
mewn gwaeledd.

Dydi Iant
ddim gant y cant.

Mae gan Tudur
drwyn budur,

a Gwen
gur yn ei phen,

a Jean-Paul
un yn ei ben-ôl.

Mae gan Iol
dwrw yn ei bol.

52

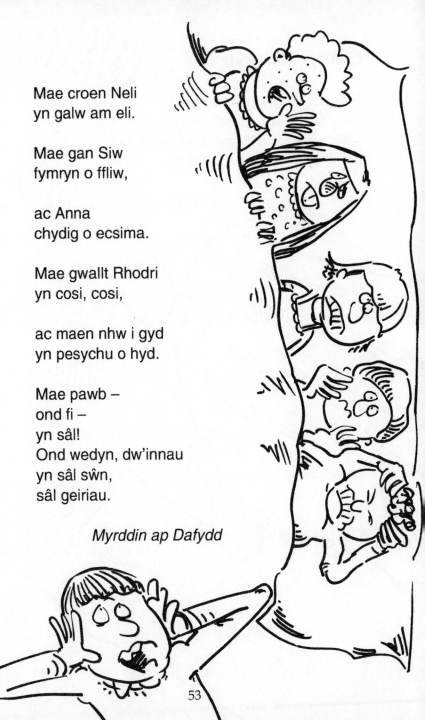

Mae croen Neli
yn galw am eli.

Mae gan Siw
fymryn o ffliw,

ac Anna
chydig o ecsima.

Mae gwallt Rhodri
yn cosi, cosi,

ac maen nhw i gyd
yn pesychu o hyd.

Mae pawb –
ond fi –
yn sâl!
Ond wedyn, dw'innau
yn sâl sŵn,
sâl geiriau.

Myrddin ap Dafydd

53

Llythyr at drwyn

Anwylaf drwyn, pryd byddi di
Yn holliach eto, dwed i mi?
Rwyt yn goch a'th gynnwys yn wyrdd
Ac ar dy flaen, diferion fyrdd!

Gwyn Morgan

No We

Dwi ddim am ddangos fy mol i'r Doctor,
Dwi ddim am ddangos fy mhen-ôl chwaith,
Pam fod raid i mi dynnu amdanaf,
Dim ond dolur gwddw sydd arnaf?
Dwi wedi dweud hynny sawl gwaith.

Selwyn Griffith

55

Yr Annwyd

Mae pobol y pentref
A'r plant i gyd adref,
Pob un yn dioddef
Yr annwyd ond fi.
Does yna ddim ysgol,
Ond tydi'n ddifrifol –
Athrawon rhy symol
I symud o'r tŷ.
Mae Owi y postman
Yn teimlo fel brechdan,
A Wilias y plisman
Yn sâl fatha'r ci,
A siop y fferyllydd,
Y groser a'r cigydd
Ynghau yn dragywydd,
Tan annwyd mae'r tri.
Y meddyg sy'n cwyno
Fod pobol yn ffonio
A'i gadw fo'n effro
A'i flino yn lân.

Mae Nain yn rhy wantan
I feddwl mynd allan,
A Taid wedi tishian
Ei ddannedd i'r tân.
Fy nhad sy'n pesychu
A thuchan a thagu,
A Mam yn ei gwely –
Does neb ond y fi
I olchi y llestri,
Glanhau y carpedi
Ac estyn tabledi –
Wel! Coeliwch chi fi,
Mae tendio ar bobol
Yn wir yn waith llethol,
Caletach na'r ysgol,
Mae'n ddrwg arnaf i.
Ond gwrandwch mewn difri –
Mae 'ngwddf i yn llosgi,
Wnewch chi nôl tabledi
At annwyd i mi?

Edgar Parry Williams

'Annwyd gei di!'

Well gen i wlychu
Na gwisgo côt law;
Well gen i sblasho
Nag osgoi'r mwd a baw;
Well gen i dampio
Na dal ymbarél,
A dwylo oer
Yn lle menig swèl;
Sanau socian,
Nid rhai cynnes, glân,
A chlecian fy nannedd
Nid bod o flaen tân;
Well gen i wynt
Na chau y drws,
A gwallt gwlyb domen
Na chap bach tlws;
Well gen i dagu
Na symud o'r mwg;
Well gen i redeg
Na chael moddion drwg;
Well gen i'r eira
Na chysgod y llwyn . . .

. . . A gwell gen i snwffian
Na sychu fy nhrwyn.

Myrddin ap Dafydd

Sbectol

Ddoe,
silwét o goeden,
dŵr cymylog mewn pwll,
cawdel o siapiau ar sgrin,
geiriau ar goll yn niwl tudalen,
a rhifau'n ymdoddi
i dywyllwch bwrdd du.

Heddiw, rhyfeddaf at
wead deilen,
patrwm aur mewn pwll,
wynebau dieithr ar deledu,
llythrennau bras mewn llyfr,
a rhifau syfrdanol gwyn.
Gwelaf bopeth â llygaid newydd
fy ngwydrau hud.

Zohrah Evans

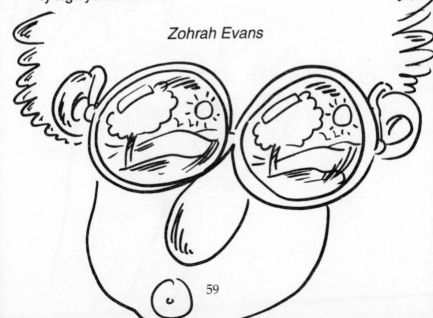

59

Gwyddoniadur gwaeledd

Dowch i mi weld
beth sy'n bod arna i heddiw . . .
Mae hwn yn llyfr da
ac yn rhestru pob afiechyd
a salwch a phla.

'A' am apendiseitis.
Rŵan, 'sgwn i beth ydi hwn?
Mae o'n siŵr o daro
rhyw ddiwrnod, mi wn.

Ac yna yn sydyn,
heb rybudd o nunlla,
fe'm trawyd gan boen
nes ro'n i'n fy nybla!

O aw! Oes wir,
mae gen i boen yn fy ochor!
Apendiseitis ydi hwn!
Well i mi ffonio'r doctor!

Ond ar ôl bodio a bodio
''Sdim byd yn bod,'
meddai'r meddyg yn swta.
'Dim byd yn bod?!'

A chyn iddo adael
a mynd ar ei hynt,
dywedodd 'Edrycha
dan G – G am gwynt!'

Margiad Roberts

61

Gwell gen i

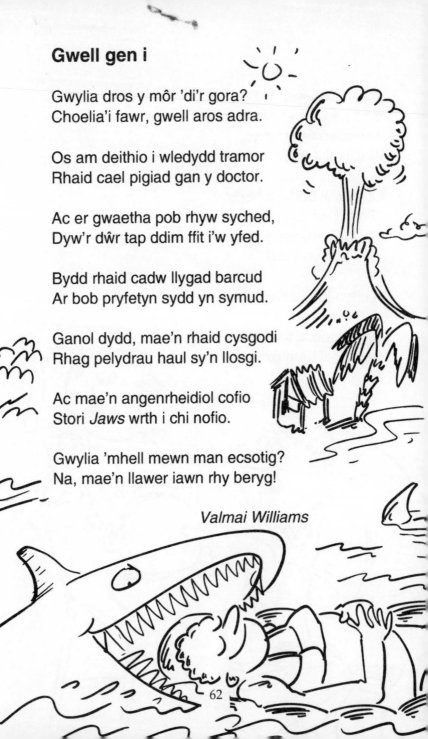

Gwylia dros y môr 'di'r gora?
Choelia'i fawr, gwell aros adra.

Os am deithio i wledydd tramor
Rhaid cael pigiad gan y doctor.

Ac er gwaetha pob rhyw syched,
Dyw'r dŵr tap ddim ffit i'w yfed.

Bydd rhaid cadw llygad barcud
Ar bob pryfetyn sydd yn symud.

Ganol dydd, mae'n rhaid cysgodi
Rhag pelydrau haul sy'n llosgi.

Ac mae'n angenrheidiol cofio
Stori *Jaws* wrth i chi nofio.

Gwylia 'mhell mewn man ecsotig?
Na, mae'n llawer iawn rhy beryg!

Valmai Williams

Gwyrth

Tacl bach handi,
Rhif deg ar y llawr,
Yn rholio a griddfan
Am chwarter awr.

Dacw fe'n gweiddi –
Bustachu nawr,
Toc daw y meddyg
Â sbwng go fawr.

O flaen ein llygaid,
Tu fewn i'r pyrth,
Digwydd rhyfeddod,
Digwydd gwyrth.

Rhif deg sy'n byrlymu,
Mae'n gwibio'n ffri,
Yn rhedeg a sgorio
Gôl rhif tri.

Gwyn Morgan

Cyngor Taid!

'Paid â bwyta sglodion bras
A *quarter-pounders* seimllyd, cras;
Paid â bwyta licris du –
Mae'r rhain i gyd yn ddrwg i ti!

'Paid â stwffio hufen iâ
A phedwar pwys o bethau da,
Paid â llyncu Mars di-ri –
Mae'r rhain i gyd yn ddrwg i ti!

'Mi fyddi'n sâl, fy machgen bach,
A gwell o lawer cadw'n iach,
Cig a llysiau, teisen gri –
Mae'r rhain i gyd yn dda i ti!'

'Wel Taid, rwy'n parchu'ch cyngor doeth,
Ond nawr rwy'n mynnu ateb coeth,
Cwrw, ffags a choffi du –
Ydy'r rhain yn dda i chi?'

Carys Jones

Na Wir . . . Dwi'n Sâl

'Gen i boen yn 'y mol,
Dwi ddim yn gneud lol,
Go iawn! Dwi 'di gneud 'y ngwaith cartra.
Dim smalio dwi, wir,
'Nes i'm cysgu am hir,
Dwi'n addo, dim celwydd 'dio tro 'ma.

Gen i dipyn o gnoi,
A ma'n stumog i'n troi,
Dim esgus 'di hwn, Mam, dwi'n addo.
Dwi'n licio dydd Iau,
Ma'r gwersi'n ddi-fai,
Gei di weld yr amserlen os ti'shio.

Dwi'n colli 'ngwers rygbi,
So ma' raid 'mod i o ddifri,
Dwi *byth* yn colli chwaraeon!
A celf sgin i'n pnawn,
Rwyt ti'n gwbod yn iawn
Ma' ngwers ora'i 'di honno o ddigon.

SAIB.

Os oes raid i mi fynd 'ta,
Ga'i ddeud rwbath gynta?
Dwi'n gwbod na 'nei di ddim coelio,
Ond dwi'n ddeud o beth bynnag,
A 'nai'm poeni chdi'm chwanag –
Ma' 'na rywun yn 'rysgol 'ny mwlio.

Cefin Roberts

Mynd i'r wal

Pedlo, pedlo, lawr Rhiw Plas,
Dod ar wib i gornel gas.

Mynd i'r wal a'r beic yn chwalu,
Gorwedd ar y llawr yn gwaedu.

Corddi rhyfedd yn fy mol
A 'mhen i'n troi fel olwyn trol.

'Be di hyn,' medd plisman tal.
'Pwy sydd wedi mynd i'r wal?'

'Druan bach,' medd gwraig y Mans.
'Ffoniwch am yr ambiwlans.'

Ambiwlans a'i seiren groch,
Golau glas a phlanced goch.

Dynion digon clên a threfnus
Yn fy symud yn ofalus.

'S'gen ti boen?' medd nyrs yn fwyn
Wrth olchi'r gwaed oddi ar fy nhrwyn.

'Rhaid rhoi pwyth bach yn dy ben,'
Meddai'r meddyg mewn côt wen.

Dal yn ddewr heb ollwng deigryn,
Nes daeth Mam, a beichio wedyn.

Beichio nes cael Mam i addo
Prynu beic bach i mi eto.

Edgar Parry Williams

67

Sâl?

O! drafferth mawr! Fu 'rioed ei fath.
Mae rhywbeth yn bod ar Hyll y gath.

Mi sleifiodd i'r tŷ yn hwyr y pnawn
Heb inni weld lle'r aeth hi'n iawn.

Bob hyn a hyn, gwelem gysgod du
Yn troedio'n anesmwyth o gwmpas y tŷ.

Diflannodd i'r llofft, ond er chwilio a chwalu
Allai neb ddod o hyd i Hyll yn fan'ny.

Ond amser te, clywsom ganu grwndi
A daethom o hyd iddi'n eitha handi.

Roedd Hyll yn y cwpwrdd ger y stafell 'molchi,
A thair cath fach drilliw yn dynn odani.

Nesta Wyn Jones

68

Ymweliad â'r ysbyty

Cerdded ar hyd gwddw jiráff o goridor
yn cydio'n dynn yn llaw fy nhad.
Symud i'r ochr yn sydyn
wrth i grocodeil o droli
grechwenu arnaf,
gan geisio fy ngwthio yn erbyn y wal.
Ceisio cyfarch y nyrsys yn glên
wrth iddyn nhw, a'r dieithriaid eraill
syllu arnaf
fel mwnci mewn cawell yn y sw.
Neidio yn ofnus i mewn
i geg yr hipopotamwslifft,
cyn i'w ddannedd mawr gau amdanaf.

Cerdded i mewn i'r ward
rhwng y gwlâu ŵyn bach a chwningod.
Rhedeg i gael mwytha gan Mam,
Mwytha ogla da, meddal, gwlanog.
Gafael yn dyner amdani,
a rhoi sws i'r cyw bach – y babi.

Lis Jones

Cerdd dant

Mae'r gwichian annaearol
'Di cychwyn bron ers saith,
A'r babi'n crio mwrdwr
Yn awr ers oriau maith
Fel mochyn bach yn mynd o'i go –
Mae rhywbeth mawr yn brifo Jo.

Mae Mami yn ei choban
Yn cerdded lan a lawr,
A Dad yn llyncu coffi –
Un du a chry a mawr –
Ond llais bach croch sy'n deffro'r fro –
Mae rhywbeth dal i frifo Jo.

Ond rhywbryd, tua pedwar,
Daeth heddwch pêr i'r tŷ,
A phawb i'w gwlâu i gysgu,
A bywyd fel y bu,
A rhywle, rhwng ei wefus o,
Daeth dant bach gwyn i geg fach Jo.

Dyfan Roberts

Ward y plant

Er bod y nyrsys yma'n ffeind
yn gwenu'n glên bob un,
rwy'n edrych 'mlaen at gael mynd 'nôl
i 'nghartref i fy hun.

Er bod y plant sy'n rhannu'r boen
i gyd yn ffrindiau da,
dwi eisiau bod ymhell o'r ward
yn chwarae pan ddaw'r ha'.

Mae heno'n gur, mae'r nos yn hir,
ac er bod fory'n bell,
mae angen weithiau bod yn sâl
er mwyn cael dod yn well.

Tudur Dylan Jones

Cân gwella

Gad i mi weld lle ti'n brifo,
Gad i mi deimlo dy wres,
Gad i mi glywed dy gwyno,
Gad i mi eistedd yn nes;
Gad i mi ddanfon dy ddolur ymhell,
Gad i mi'i chwythu yn well.

Gad i mi sibrwd breuddwydion,
Gad i mi gynnal dy ben,
Dy ddal di at fy nghalon
A dangos bod seren wen;
Gad i mi yrru dy boen di ymhell,
Gad i mi'i chwythu yn well.

Myrddin ap Dafydd